Y0-CBW-006

O BOHATERSKIM KRAWCZYKU

Dawno temu wśród mieszkań-
ców dużego królestwa zapa-
nował popłoch. W jego granicach
pojawił się olbrzym, który niszczył
wszystko na swojej drodze i zjadał
każde żywe stworzenie. Wyznaczono
zatem nagrodę za jego pokonanie
i szukano śmiałka, który odważyłby
się z nim zmierzyć.

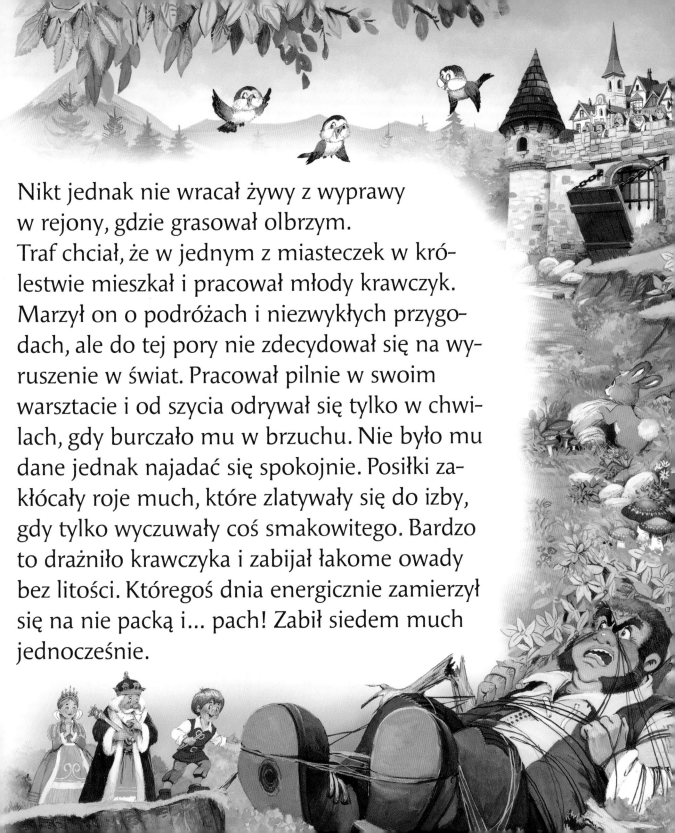

Nikt jednak nie wracał żywy z wyprawy w rejony, gdzie grasował olbrzym.

Traf chciał, że w jednym z miasteczek w królestwie mieszkał i pracował młody krawczyk. Marzył on o podróżach i niezwykłych przygodach, ale do tej pory nie zdecydował się na wyruszenie w świat. Pracował pilnie w swoim warsztacie i od szycia odrywał się tylko w chwilach, gdy burczało mu w brzuchu. Nie było mu dane jednak najadać się spokojnie. Posiłki zakłócały roje much, które zlatywały się do izby, gdy tylko wyczuwały coś smakowitego. Bardzo to drażniło krawczyka i zabijał łakome owady bez litości. Któregoś dnia energicznie zamierzył się na nie packą i... pach! Zabił siedem much jednocześnie.

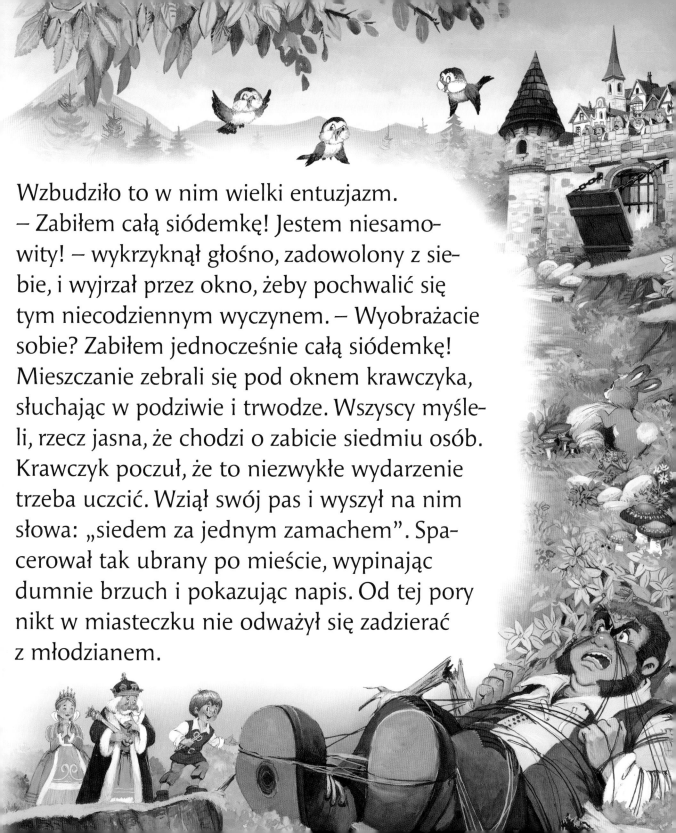

Wzbudziło to w nim wielki entuzjazm.

– Zabiłem całą siódemkę! Jestem niesamowity! – wykrzyknął głośno, zadowolony z siebie, i wyjrzał przez okno, żeby pochwalić się tym niecodziennym wyczynem. – Wyobrażacie sobie? Zabiłem jednocześnie całą siódemkę! Mieszczanie zebrali się pod oknem krawczyka, słuchając w podziwie i trwodze. Wszyscy myśleli, rzecz jasna, że chodzi o zabicie siedmiu osób. Krawczyk poczuł, że to niezwykłe wydarzenie trzeba uczcić. Wziął swój pas i wyszył na nim słowa: „siedem za jednym zamachem". Spacerował tak ubrany po mieście, wypinając dumnie brzuch i pokazując napis. Od tej pory nikt w miasteczku nie odważył się zadzierać z młodzianem.

Tymczasem wieści i plotki o śmiałku, który pokonał siedmiu przeciwników, rozeszły się po okolicy, urosły do niebotycznych rozmiarów i w końcu dotarły na dwór królewski. Tam, któregoś dnia, doradca króla, jedząc obiad w kuchni, usłyszał, jak służba ze swadą opowiada o niezwykłym bohaterze. Ożywił się bardzo i pełen nadziei popędził do władcy:

– Wasza Wysokość! Królu najłaskawszy! Podobno w naszym królestwie mieszka silny wojownik, który jednym uderzeniem zabija siedmiu chłopów. Wezwijmy go, może on nas uratuje!

Król, który nie sypiał po nocach ze zgryzoty z powodu nieproszonego gościa, wysłuchał uważnie doradcę i rozkazał natychmiast odszukać słynnego bohatera.

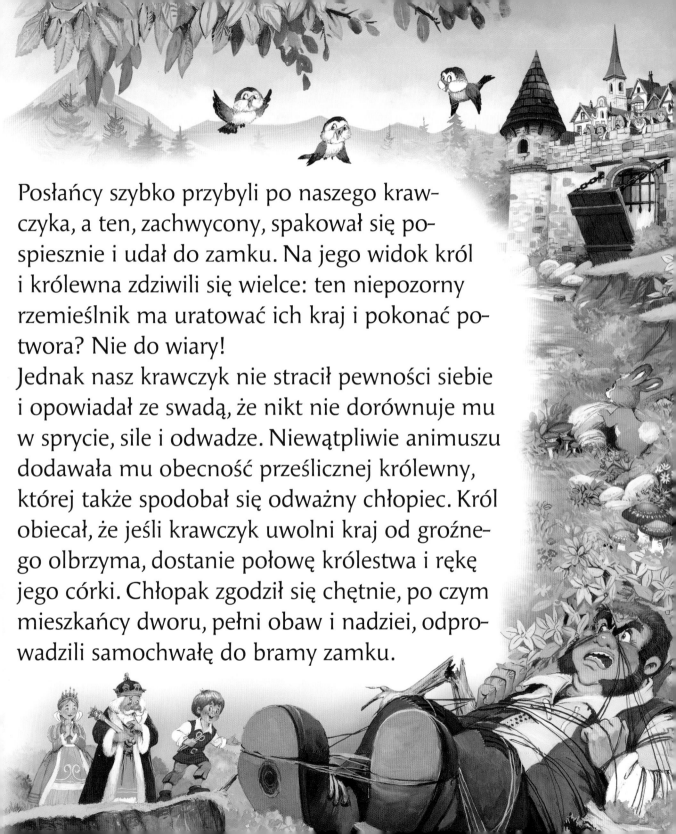

Posłańcy szybko przybyli po naszego krawczyka, a ten, zachwycony, spakował się po-
spiesznie i udał do zamku. Na jego widok król
i królewna zdziwili się wielce: ten niepozorny
rzemieślnik ma uratować ich kraj i pokonać po-
twora? Nie do wiary!

Jednak nasz krawczyk nie stracił pewności siebie
i opowiadał ze swadą, że nikt nie dorównuje mu
w sprycie, sile i odwadze. Niewątpliwie animuszu
dodawała mu obecność prześlicznej królewny,
której także spodobał się odważny chłopiec. Król
obiecał, że jeśli krawczyk uwolni kraj od groźne-
go olbrzyma, dostanie połowę królestwa i rękę
jego córki. Chłopak zgodził się chętnie, po czym
mieszkańcy dworu, pełni obaw i nadziei, odpro-
wadzili samochwałę do bramy zamku.

Dalej krawczyk ruszył już samotnie
przeciwko okrutnemu wielkoludowi.
Za pas zatknął długie krawieckie nożyce,
do kieszeni włożył kilka szpulek mocnych nici,
jednak mina zaczynała mu nieco rzednąć.

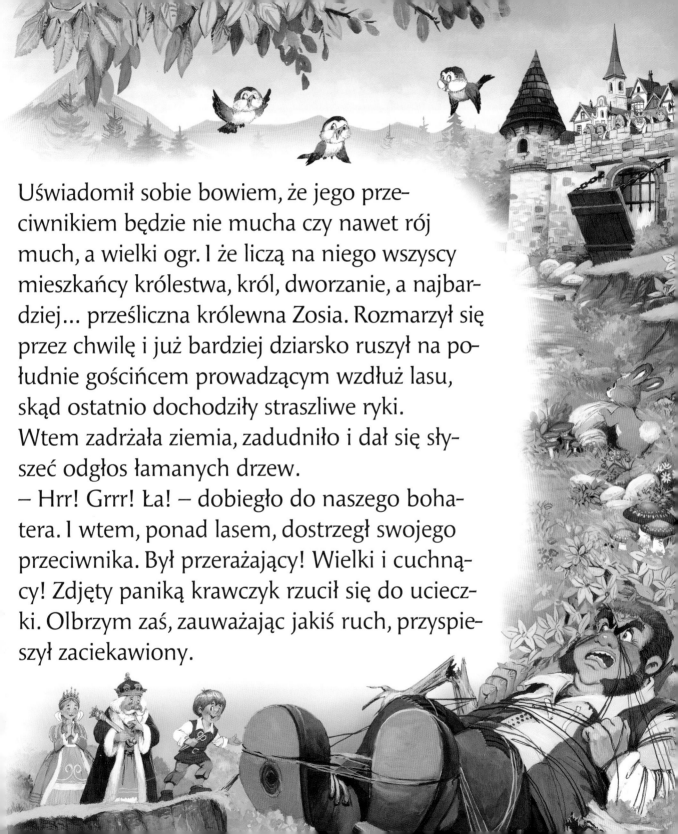

Uświadomił sobie bowiem, że jego przeciwnikiem będzie nie mucha czy nawet rój much, a wielki ogr. I że liczą na niego wszyscy mieszkańcy królestwa, król, dworzanie, a najbardziej... prześliczna królewna Zosia. Rozmarzył się przez chwilę i już bardziej dziarsko ruszył na południe gościńcem prowadzącym wzdłuż lasu, skąd ostatnio dochodziły straszliwe ryki.

Wtem zadrżała ziemia, zadudniło i dał się słyszeć odgłos łamanych drzew.

– Hrr! Grrr! Ła! – dobiegło do naszego bohatera. I wtem, ponad lasem, dostrzegł swojego przeciwnika. Był przerażający! Wielki i cuchnący! Zdjęty paniką krawczyk rzucił się do ucieczki. Olbrzym zaś, zauważając jakiś ruch, przyspieszył zaciekawiony.

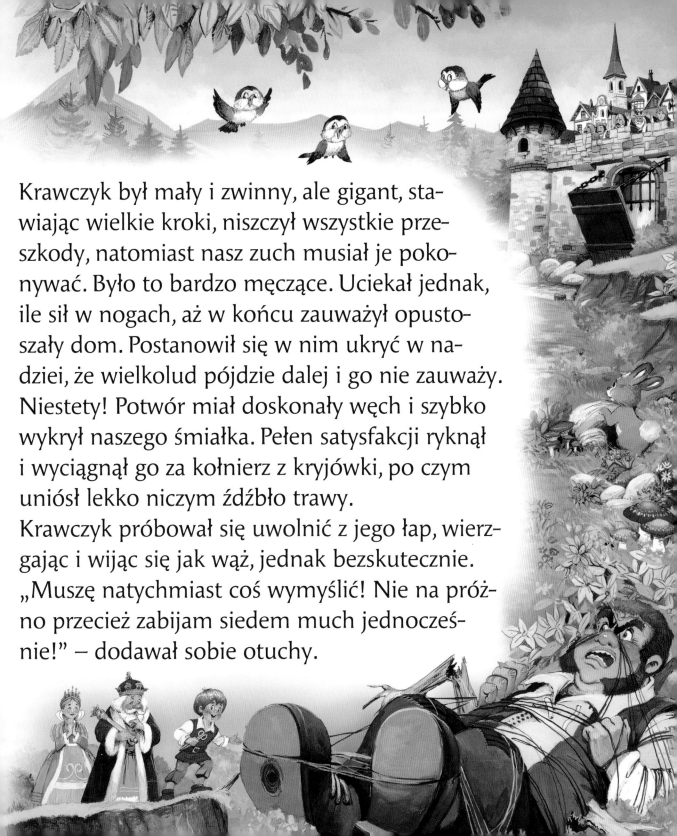

Krawczyk był mały i zwinny, ale gigant, stawiając wielkie kroki, niszczył wszystkie przeszkody, natomiast nasz zuch musiał je pokonywać. Było to bardzo męczące. Uciekał jednak, ile sił w nogach, aż w końcu zauważył opustoszały dom. Postanowił się w nim ukryć w nadziei, że wielkolud pójdzie dalej i go nie zauważy. Niestety! Potwór miał doskonały węch i szybko wykrył naszego śmiałka. Pełen satysfakcji ryknął i wyciągnął go za kołnierz z kryjówki, po czym uniósł lekko niczym źdźbło trawy.

Krawczyk próbował się uwolnić z jego łap, wierzgając i wijąc się jak wąż, jednak bezskutecznie. „Muszę natychmiast coś wymyślić! Nie na próżno przecież zabijam siedem much jednocześnie!" – dodawał sobie otuchy.

Olbrzym tymczasem już otworzył szeroko swoje gębisko, żeby zjeść zdobycz na przystawkę. A zęby miał straszliwe, nie chcielibyście ich zobaczyć!

Nasz młodzieniec nie na próżno jednak uważał się za dzielnego i pomysłowego. Błyskawicznie wyciągnął nożyce krawieckie i zamachnąwszy się, z całej siły ukłuł nimi wielkoluda w wielki, bulwiasty nos. Aż huknęło – uwierzcie mi, moi mili! A nos olbrzyma, jak wiecie, był bardzo delikatny! Spuchł natychmiast, a brzydal ryknął z bólu. Zawył wręcz. Wypuścił krawczyka z łapsk i złapał się za zraniony nochal, skacząc na jednej nodze. To był niezwykły widok! Podskakując tak, że aż dudniło, olbrzym w końcu potknął się o skarpę w lesie i runął jak długi.

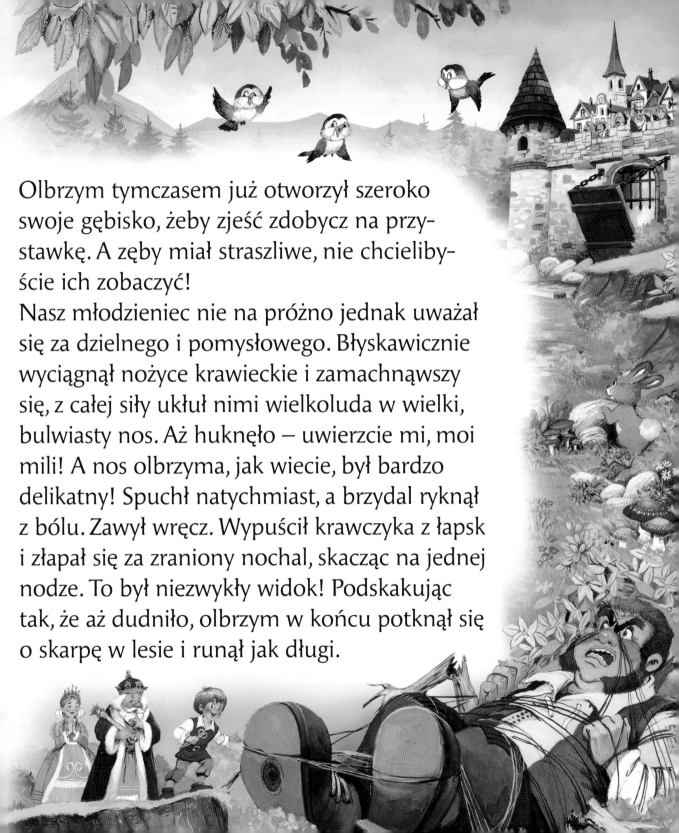

Pod wpływem jego upadku ziemia zadrżała, utworzył się wielki dół, w królestwie rozchwiały się wszystkie lampy, a niektóre szyby w oknach popękały. Krawczyk nie stracił jednak zimnej krwi i wykorzystując moment zaskoczenia, szybko i dokładnie począł oplątywać nićmi ręce olbrzyma. Następnie skrępował całe jego ciało, porobił pętle i przywiązał do kołków. Wielkolud ryczał przeraźliwie, miotał się i próbował uwolnić członki, ale bez skutku: nici krawczyka trzymały bardzo solidnie. Gdy zadowolony z efektu młodzieniec upewnił się, że ogr nie przerwie więzów, pobiegł do zamku, krzycząc:
– Jestem niesamowity! Udało się! Udało! Pokonałem olbrzyma! – Opowiedział też władcy oraz dworzanom o swoim czynie.

Wszyscy mieszkańcy zamku i poddani zbiegli się, aby obejrzeć pokonanego wroga. Gromkimi oklaskami dziękowali zwycięzcy, a on uśmiechał się dumnie i radośnie. Król nie mógł się nadziwić, a królewna aż klaskała z radości.

Bohaterski krawczyk otrzymał
obiecaną nagrodę – pół królestwa – i po-
jął za żonę śliczną Zosię. Odtąd wszyscy
żyli bezpiecznie i szczęśliwie.

KONIEC